SIEHST DU
DEN STERN DORT
OBEN, SUNAO?
SEIN LICHT HAT
FAST ZWEI
MILLIONEN JAHRE
GEBRAUCHT, UM
HIER HERZUKOMMEN

ECHT?
WENN ICH
...SS BIN,
...RDE ICH
...MPILOT
...D FLIEGE
...HIN, KEI!

D0784203

ICH WERDE
BIS ANS ENDE
DES HIMMELS
FLIEGEN!

Szenario
Yo Morimoto

Zeichnungen
Hiroyuki Utatane

TAK SU-NAO ...?

KEI ...?!

ICH... ICH KONNTE ES DIR EINFACH NICHT PERSÖNLICH SAGEN, SUNAO... ABER... WEGEN SEINER ARBEIT GEHEN MEIN VATER UND ICH ZUM MOND.

KRR

VZZZ

5

7

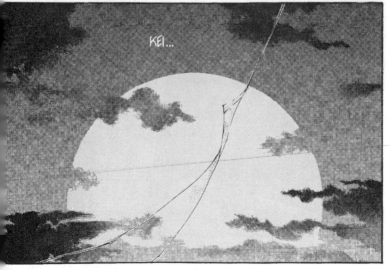

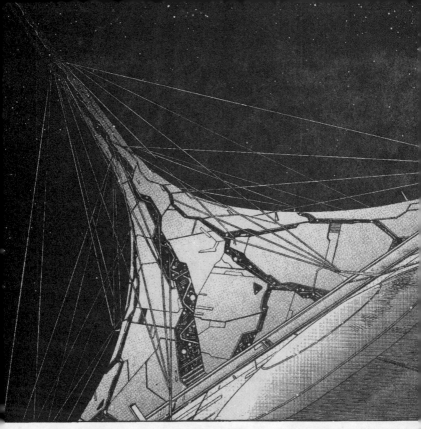

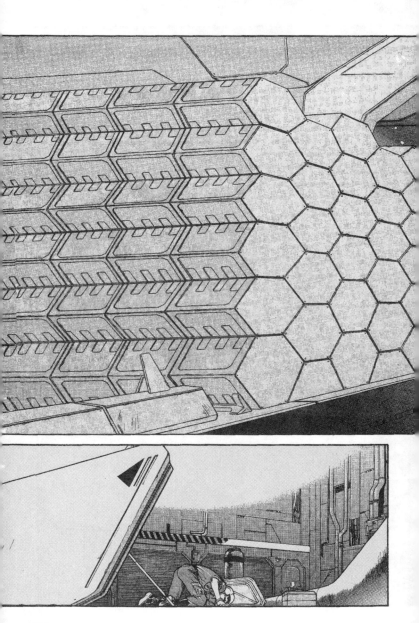

16

17

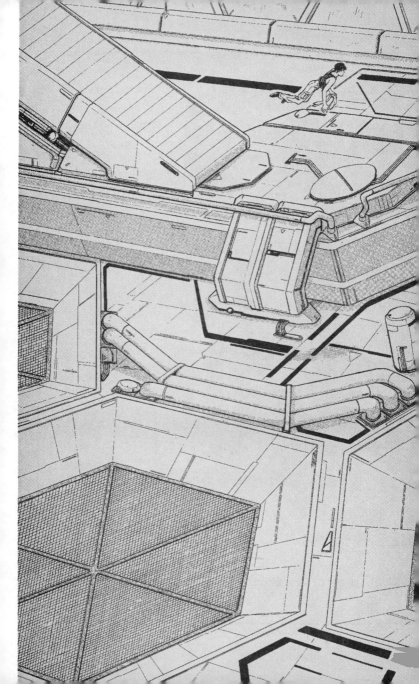

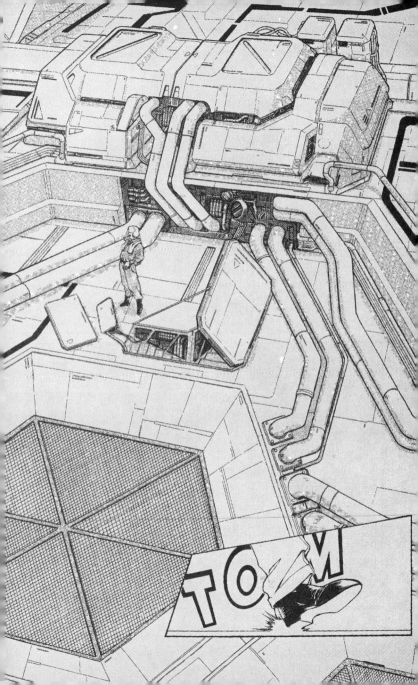

WAS LIEGT AN, BOSS?

MIR IST EIN VERDAMMTER VERBINDUNGSBOLZEN IN DEN SCHACHT HIER GEFALLEN.

KANNST DU MAL NACHSEHEN?

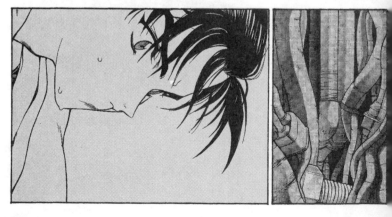

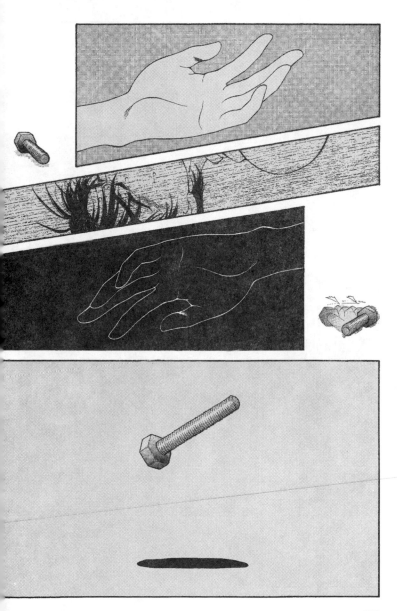

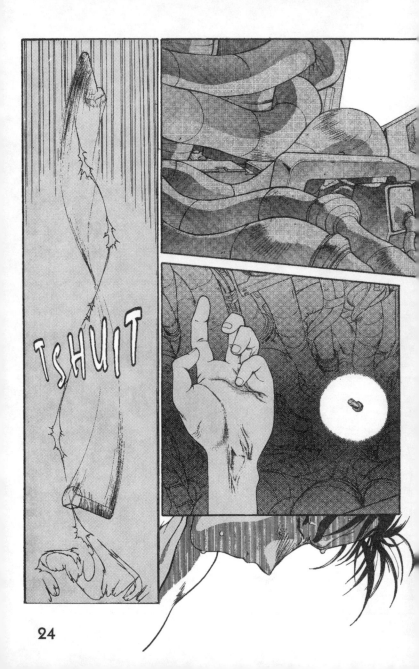

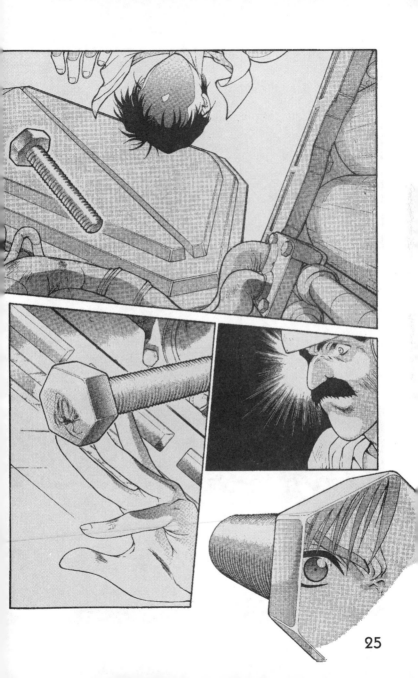

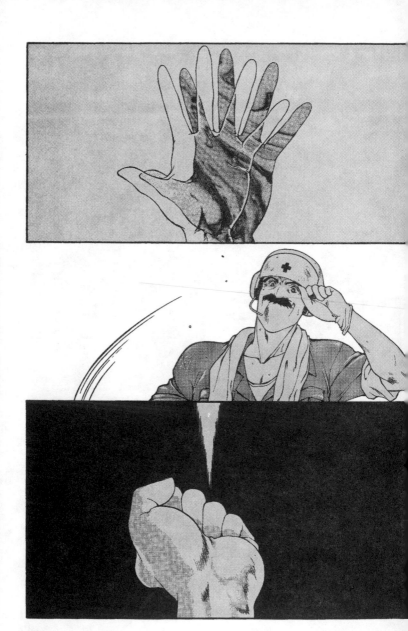

27

28

29

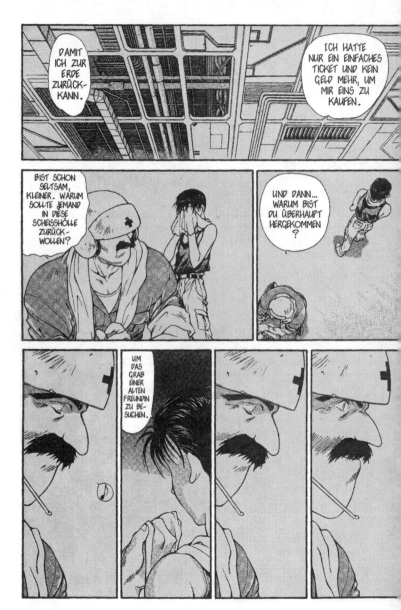

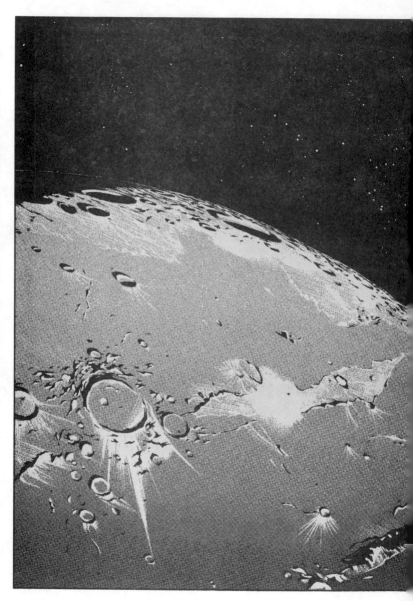

34

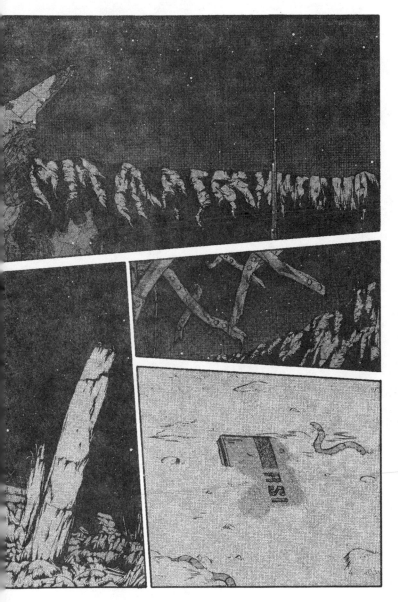

37

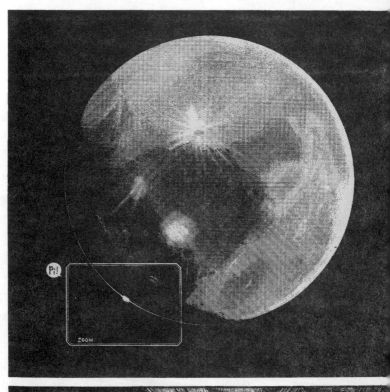

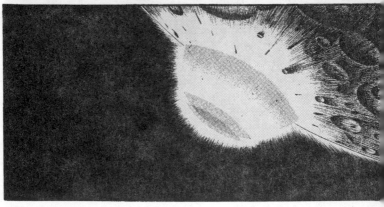

38

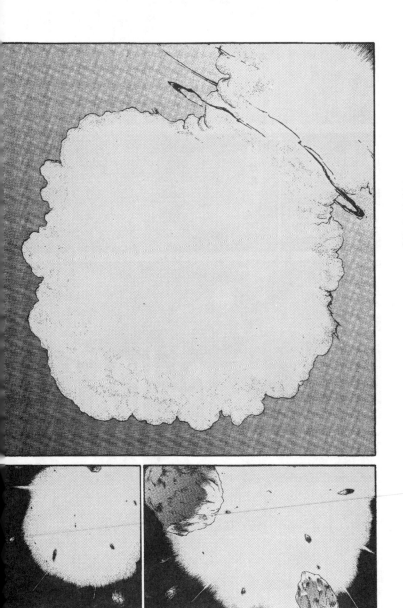

40

41

43

44

46

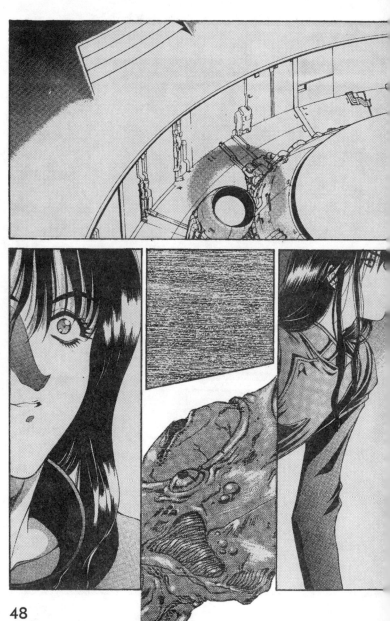

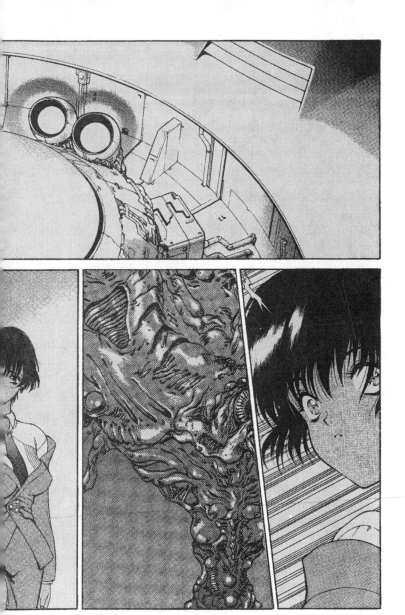

49

51

APEP
...

IST
DIESES
DING
WIRKLICH
SO EINE
ART
RAUM-
SCHIFF
?

HMM
...

HMM

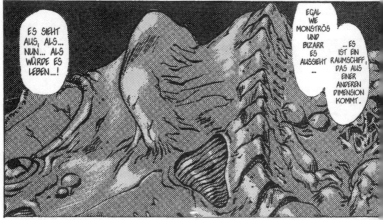

ES SIEHT
AUS, ALS...
NUN... ALS
WÜRDE ES
LEBEN...!

EGAL
WIE
MONSTRÖS
UND
BIZARR
ES
AUSSIEHT
...

... ES
IST EIN
RAUMSCHIFF,
DAS AUS
EINER
ANDEREN
DIMENSION
KOMMT.

53

OHHH
...

MMFF

HMM...
DU FÜHLST
DICH
FIEBRIG
AN.

NEIN,
ICH
...
ICH
FÜHLE
MICH NUR
ETWAS
SCHWACH
...

TODOM
TODOM

55

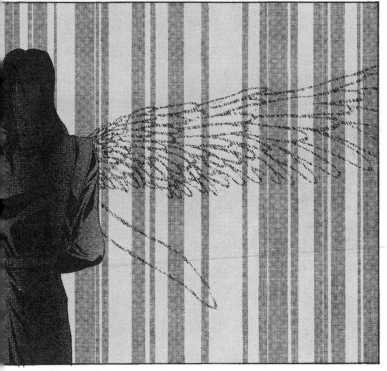

FARN,
KÖNNTEN
SIE UNS
BITTE ALLEIN
LASSEN
?

FÜÜ

FÜÜ

UNG

TS

TAP

TAP
TAP

GEH DICH
AUSRUHEN,
FARN.

58

EIN UNTER-SUCHUNGS-BEAMTER DER **UN** IST AUF DEM WEG HIERHER!

SIE WOLLEN UNSERE FORSCHUNGEN UND UNSERE LABORS GENAUER UNTER DIE LUPE NEHMEN!

UND? WAS MACHT DAS SCHON AUS?

SOBALD DAS LETZTE EMBLEM-SEED HIER IST, SIND UNSERE FORSCHUNGEN ABGESCHLOSSEN, PROFESSOR HENKEL.

WAS...?! NATÜRLICH MACHT ES ETWAS AUS!

WENN DIE **UN** UNSERE ILLEGALEN ARBEITEN HIER ENTDECKT ...

...SIND WIR ER-LEDIGT!

61

FLATS

DIE MACHT DER ALIENS GEHÖRT MIR!

UND NIEMAND STELLT SICH MIR IN DEN WEG ...

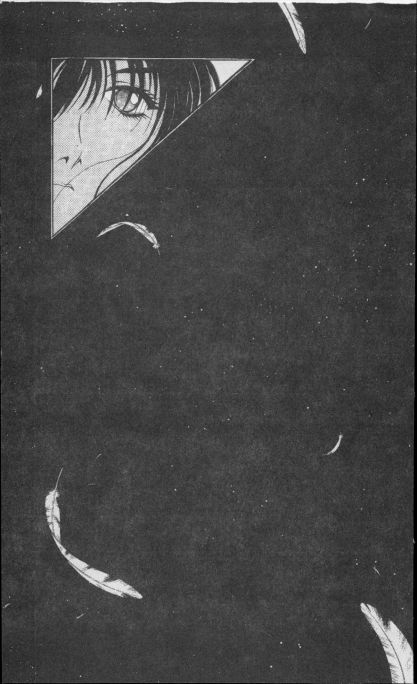

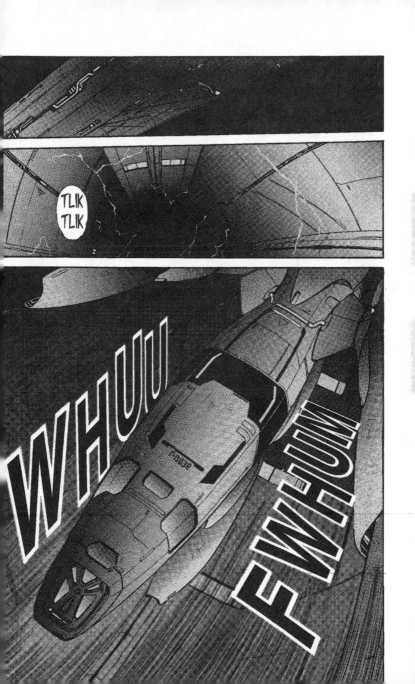

74

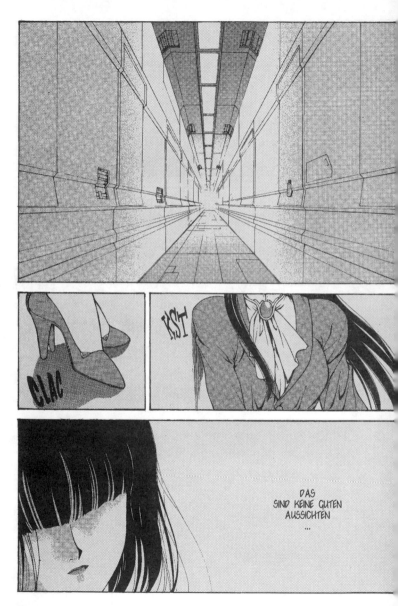

ICH
HABE ETWA
NOCH FÜNF
JAHRE
...

...ZU
LEBEN.

PFF

OH!
FRÄULEIN M-ZAK!
SEHEN SIE NUR!
DER MOND!

EL SHAT

cats

cats

83

84

2. Akt

KLAR
...

ABER HEUTE NACHMITTAG MUSS ICH WIEDER ALS FÜHRER RAN
...

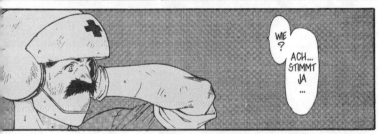

WIE?

ACH... STIMMT JA
...

ZU BLÖD. ICH HAB DANN ZU VIEL ZU ESSEN DABEI.

EGAL. HIER, NIMM'S EBEN FÜR UNTERWEGS MIT.

90

91

93

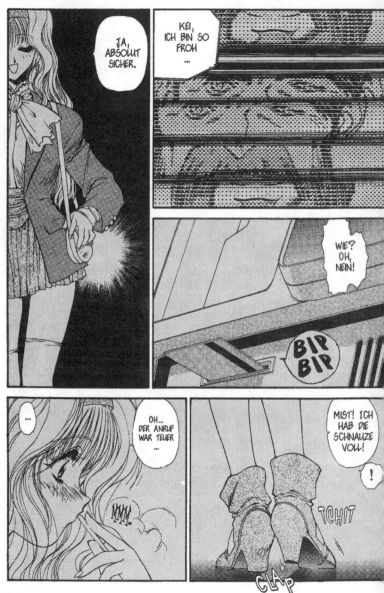

94

99

100

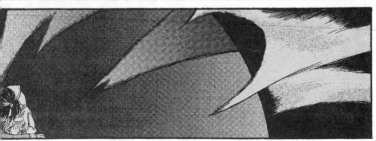

SFHAÂÂÂ

REGEN
...?

NEIN, DAS IST DAS GERÄUSCH VON TROPFENDEM BLUT...

JA, UND DIESES „TODOM, TODOM" SIND HERZSCHLÄGE.

AH...? WAS IST DAS...?

DIESER GERUCH ...? DAS ERINNERT MICH ...

UNGS

106

ÄH... KÖNNTEN SIE MICH BITTE LOSLASSEN ?!

UND IHRE HAND WEGNEHMEN ?!

AHRG!

FTU

TUT... TUT MIR LEID.

ICH WOLLTE SIE NICHT AN DER BRUST ANFASSEN ...

?!

EUH

FTU

HATS

107

109

111

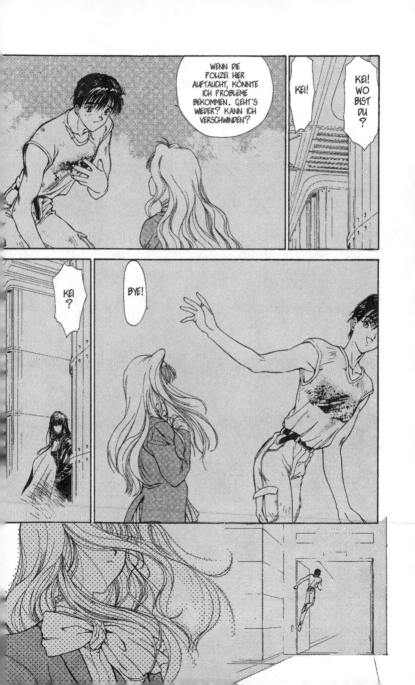

116

KEI... DA ...

DEINE TASCHE IST GANZ ROT.

WIE?

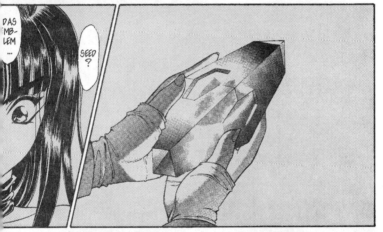

DAS EMB- LEM ...

SEED?

DAS HAT DICH GERETTET ...

DAS EMBLEM- SEED ...

...HAT NOCH NIE SO GELEUCHTET. DAS IST ...

...DAS ERSTE MAL.

OB ES
AUF MEINE
GEFÜHLE
...

...REAGIERT?

Ende des 2. Akt

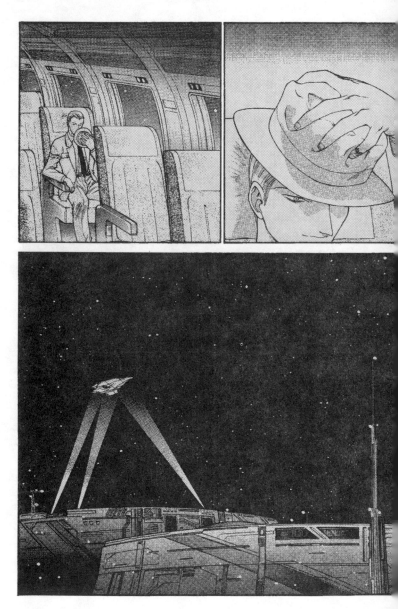

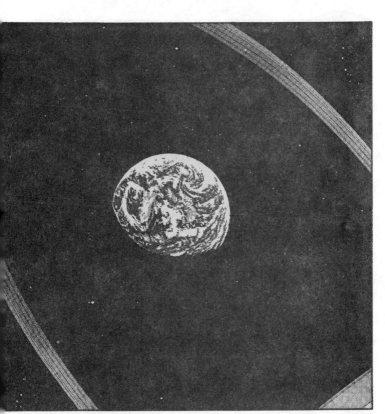

EIN UNHEIM-LICHER ORT.

SCHAUEN SIE! MAN GEWINNT DEN EINDRUCK, MAN WÜRDE DIE ERDE IN DEN HÄNDEN HALTEN!

SIND SIE DAS, APEP HEIDEMANN?

ER IST JUNG ...

ICH BIN LYX HAYWARD, SICHERHEITS-CHEF VON DIESKARTS.

AN-GE-NEHM.

ICH BIN APEP HEIDEMANN, DER INTERIMS-CHEF.

ES HEISST, DER PROFESSOR WÄRE TOT ...?

127

WER HAT DAS ERZÄHLT?

ER IST NICHT TOT. ER HATTE NUR EINEN ANFALL.

ABER SOWEIT ICH WEISS, LIEGT ER IMMER NOCH IM KOMA...

DA DER PROFESSOR...

...AUSFÄLLT...

HMM... ICH WILL OFFEN SEIN. WIE WEIT SIND SIE MIT IHREN FORSCHUNGEN?

SOBALD DIE EMBLEM-SEEDS HIER SIND, WERDEN WIR FERTIG SEIN.

DIE UNBEABSICHTIGT EINE UNTERSUCHUNG, UND SIE

...SIND DAS ZIEL!

DIE DIESKARTS GESELLSCHAFT HAT DOCH FAST GENAUSO GROSSEN EINFLUSS WIE DIE MONDREGIERUNG, ODER? MAN KÖNNTE DIE KRÄFTE VEREINEN...

WÄRE DAS REALISIERBAR?

HMM... VIELLEICHT...

ABER...

ICH HABE EINE VIEL BESSERE IDEE!

129

SIE WERDEN HIER STERBEN!!

SIE WOLLEN ALLE BEWEISE VERNICHTEN? WIE DER PROFESSOR FÜRCHTEN SIE WOHL AUCH DIE UNTERSUCHUNG, ODER?

131

133

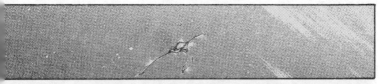

135

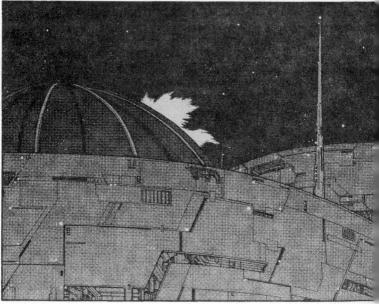

138

ICH BRAUCHE LEUTE, DIE MIR HELFEN.

MEINE FORSCHUNGEN LASSEN MIR KEINE ZEIT FÜR DIE PHYSISCHEN AUFGABEN.

141

DIE DIESKARTS GESELLSCHAFT MÖCHTE GERNE DIE AUSSER-IRDISCHE TECHNOLOGIE KONTROL-LIEREN.

WENN SIE MIR DAS EMBLEM-SEED BRINGEN ...

...ENT-WICKLE ICH SIE ...

...NOCH WEITER ... UND ...

...ICH GEBE SIE IHNEN.

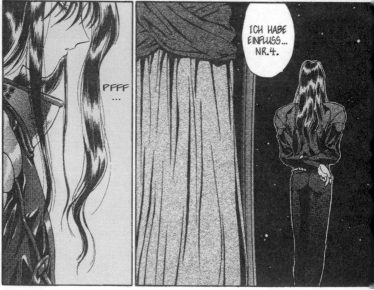

PFFF
...

ICH HABE
EINFLUSS...
NR.4.

ICH SCHÄTZE, DASS LYX AM BESTEN WEISS, WIE ER SICH UM DIE UN-UNTERSUCHUNG UND DAS EBLEM-SEED KÜMMERN MUSS... ABER...

146

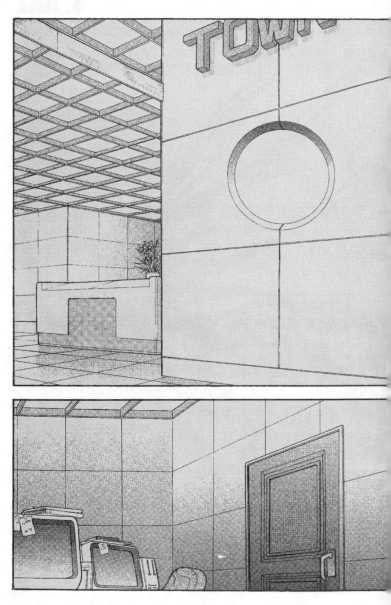

149

MEIN KLEINER SUNAO ?

SUNAO ?!

ES IST IRRE ...

...WIE SEHR SIE KEI ÄHNELT!

SUNAO...!

JA,
ABER
...

HIHI!

...SIE WÄRE
NICHT MEHR SO
KINDLICH
...

...

...WIE
DIESES
MÄDCHEN

153

158

159

165

ABER
...
KEI
...

ÄH...
NEIN,
ICH
MEINE
...

TLOK

167

5. Akt

AH!

FRÄULEIN ATTIM M-ZAK?

ICH BIN DER FÜHRER, DEN DAS TOURISTIK-BÜRO GESCHICKT HAT, SUN ...

FUIT

TLAD

TLAD

173

TUT MIR LEID!

ICH HABE SIE FÜR JEMAND ANDEREN GEHALTEN ...

ES WAR EIN IRRTUM.

179

SIND SIE WEG?

JA, CHEF!

SIE IST EINE SCHÖNE FRAU.

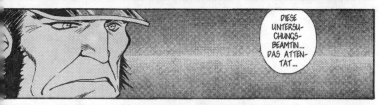

DIESE UNTERSUCHUNGSBEAMTIN... DAS ATTENTAT...

...WAR NICHTS GEGEN DEN SKANDAL, DER HIER BALD EXPLODIEREN WIRD!

PASS MAL AUF!

DAS RESTAURANT BEFINDET SICH IN EINEM FIRST-CLASS-HOTEL...

DAS IST DAS DAIZEN-HANTEN. ALLES VOLLER LEUTE...

SOLLEN WIR HERRN LYX ÜBER ALLES WEITERE INFORMIEREN?

JA! HERR LYX IST VON GANZ OBEN EINGESETZT WORDEN. WIR STEHEN UNTER SEINEM BEFEHL.

UND WIR GEHORCHEN ERST MAL...

185

ICH FINDE, DASS MAN DAS ESSEN NACH EINEM SPAZIERGANG VIEL MEHR GENIESST, ODER?

FWT

HÄTTEN WIR EIN TAXI GENOMMEN, WÄREN MEINE KLEIDER NICHT SO SCHMUTZIG GEWORDEN.

KEI, DU BIST DOCH NUR EINMAL HINGEFALLEN. ICH DAGEGEN ELFMAL ...!

GENAU! KEIN GRUND, SICH ZU BRÜSTEN!

SCHPLING

UND WER WOLLTE ZU FUSS GEHEN, UM ALLES ZU SEHEN?

WIE? KEI?!

HÖREN SIE... FÜNF KILOMETER SIND ECHT LANG...

JA!

FINDEN SIE AUCH, SUNAO!

NA ALSO!!

OKAY, DAS NÄCHSTE MAL ENTSCHEIDEST DU.

ERST ESSE ICH NOCH EIN MANDELEIS, UND DANN GEHEN WIR UNS DIE STERNE ANSEHEN.

DENN HIER IN DER KUPPEL DES RESTAURANTS SIEHT MAN GAR NICHTS.

WISSEN SIE, VON WO AUS MAN DIE STERNE BEOBACHTEN KANN?

187

188

TZAN

GLURP

WAS HABEN SIE DENN? SIE SIND AUF EINMAL SO BLEICH!

ÄH... NICHTS ...

GAR NICHTS ...

FLLLt FLLLt

ÜBRIGENS, MEIN CHEF HAT MIR KEINE INSTRUKTIONEN GEGEBEN, WAS DIE BEZAHLUNG DES ESSENS UND DER ANDEREN AUSLAGEN BETRIFFT...

MACHEN SIE SICH KEINE SORGEN. NORMALERWEISE ERSTATTET DIE UN ALLE AUSLAGEN SOFORT.

SELBST WENN SIE FINANZPROBLEME HAT, WIRD SIE IHNEN DAS GELD FÜR DAS ESSEN UND DEN FÜHRER VERGÜTEN.

SIE WERDEN DAS GELD SPÄTER BEZAHLEN?

NATÜR-LICH!

HABEN SIE DESHALB SO WENIG GEGESSEN?

ICH WEISS NICHT, WARUM, DOCH KEI HAT AUCH KAUM ETWAS GEGESSEN.

ABER ICH ESSE IMMER SO WENIG!

HAHAHA!

MACHEN SIE SICH NICHT LUSTIG, FRÄULEIN M-ZAK.

KEI? WILLST DU NOCH EIN EIS?

NEIN, ICH WILL KEINES MEHR.

ACH JA? ABER GERADE WOLLTEST DU DOCH NOCH EINS...

ALSO DANN NEHME ICH NUR EINS FÜR MICH.

WIE? ÄH... ACH, DANN NEHME ICH AUCH NOCH EINS.

ALSO...

BESTELLEN SIE DOCH MAL, OHNE VORHER GROSS NACHZUDENKEN ...

ICH HABE KEIN GELD MEHR!

RITSCH

MEINE KARTE FUNKTIONIERT NICHT... UND ICH GLAUBE NICHT, DASS WIR HIER WEGKOMMEN, OHNE VORHER DIE RECHNUNG BEZAHLT ZU HABEN.

ICH KANN DOCH MEINEN KUNDEN NICHT BITTEN ...

NA- TÜR- LICH ...!

ICH KANN FRAGEN OB SIE MIR KREDIT GEBEN ...!

ICH MUSS TELEFONIEREN GEHEN.

ABER SIE KÖNNEN DOCH DAS HANDY BENUTZEN ?!

192

193

194

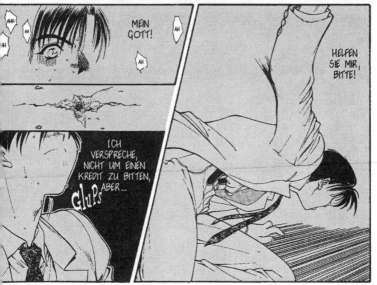

KYAA!

UNG! WHOA!

LEG DICH AUF DEN BODEN.

FRÄULEIN M-ZAK ?!

ES GEHT SCHON. ICH WERDE NICHT MEHR HIN- FALLEN...

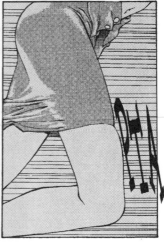

NA...
VIEL HÄLT
ER ABER
NICHT
AUS.

DIE POLIZEI! WO BLEIBT DIE POLIZEI?!

DER GESCHÄFTS-FÜHRER!

IST ER TOT!

HE?

JA!

WER IST DAS?

EIN BÖSER MANN, DER DAS EMBLEM-SEED WOLLTE.

WIE?

ABER...? HABEN WIR WIRKLICH FEINDE?

SIE WOLLEN NICHT DEIN EMBLEM-SEED, KEI, SONDERN DAS, DAS SICH IN MEINEM AKTENKOFFER BEFINDET.

207

WAS SIND DAS? DIESE EMBLEM-SEEDS?

GEHEIME SCHÄTZE, DIE DIE WELT VERÄNDERN KÖNNEN ...

SO SAGT MAN!

ICH LÜGE.

ES HAT NICHTS MIT IHNEN ZU TUN.

VIELLEICHT HAT DAS NICHTS MIT MIR ZU TUN, ABER ...

UND WIE DAS WAS MIT IHM ZU TUN HAT! DESHALB WURDE ER DOCH HINEINGEZOGEN!

ALSO SAGEN SIE NICHTS FALSCHES!!

MEINST DU?

NEIN, KEI... FRÄULEIN KEL IST NICHT SCHLIMM.

SEIEN SIE STILL!

ÄH... JA ...

SUNAO IST NICHT WIE SIE, FRÄULEIN M-ZAK! ER IST NORMAL.

JA... DAS STIMMT.

TUT MIR LEID.

HAH... EINE UNTER-DRUCK-PISTOLE, SPEZIELLES MOND-MODELL.

DER IST HIN!

HIER, SUNAO!

209

211

ABER WENN ES EINE FALLE IST...

SIE TRIFFT KEINERLEI VORKEHRUNGEN!

HIHI! SIE IST SEHR ...

...SPEZIELL!

215

217

ISHA

ARGH
...

PLAK

PLAK

CHRYCK

UND
...

...JETZT
?

DU BIST VIEL ZU LANGSAM FÜR MICH! UND JETZT SAG MIR ...

WER SCHICKT DICH?

WIE... HABEN SIE...?

ARG!

1. Auflage
FEEST MANGA
70146 Stuttgart
Übersetzung aus dem Französischen: Fritz Walter
Verlagsleitung: Georg F.W. Tempel
Redaktion: Etsche Hoffman-Mahler
Lettering: Horus und Kirsten Mischok-Odenthal
Gestaltung: Claudia V. Villhauer
Koordination: Agnès Borie und Sibylle Schneider
Buchherstellung: Andreas Jakob
Originaltitel: «Seraphic Feather» Vol. 1
© 1994 by Hiroyuki Utatane and Yo Miromoto. All rights reserved.
First published in Japan in 1994 by Kodansha Ltd., Tokyo.
German publication rights arranged through Kodansha Ltd.
Original artwork reversed for German Edition.
© der deutschen Ausgabe Egmont Manga & Anime
Europe GmbH, Stuttgart 2000
Druck und Verarbeitung: Ueberreuter, Wien
ISBN 3-89343-524-7